Pulgada a pulgada

por Leo Lionni

SCHOLASTIC INC. New York Toronto London Auckland Sydney

Un día, un hambriento petirrojo vio a una oruga-que-mide de color verde esmeralda, posada en una rama. El petirrojo iba a comérsela.

—No me comas. Soy la oruga-que-mide. Soy útil.
Puedo medir todas las cosas.
—¡No me digas! —dijo el petirrojo—. Entonces mide mi cola.

—Eso es fácil —contestó la oruga-que-mide—.
Una, dos, tres, cuatro, cinco pulgadas.

—¡Qué bien! —exclamó el petirrojo—. Así que mi cola mide cinco pulgadas.
Y se fue volando con la oruga-que-mide a medir otras aves.

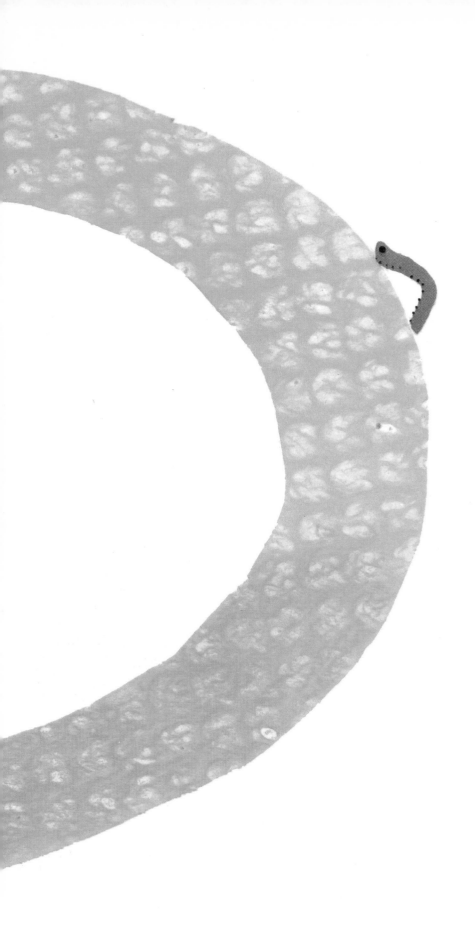

La oruga-que-mide midió el pescuezo del flamenco.

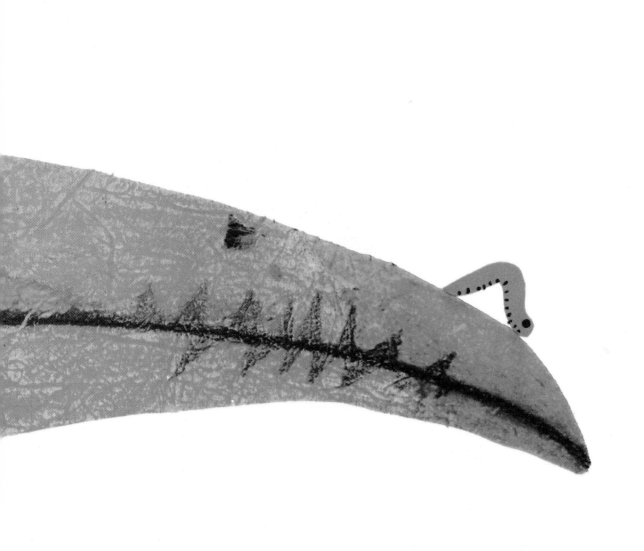

Midió el pico del tucán...

las patas de la garza...

la cola del faisán...

y al colibrí entero.

Una mañana, un ruiseñor se encontró con la oruga-que-mide.

—Mide mi canto —dijo el ruiseñor.

—Pero, ¿cómo puedo hacer eso? —preguntó la oruga—. Yo mido cosas, no cantos.

—Mide mi canto o te convertirás en mi desayuno —amenazó el ruiseñor.

Entonces, a la oruga-que-mide se le ocurrió una idea.

—Lo voy a intentar —dijo—. Empieza a cantar.

El ruiseñor cantó y la oruga comenzó a medir.

Midió y midió...

pulgada a pulgada...

hasta que entre tantas pulgadas se perdió de vista.

Originally published as: *Inch by Inch*

2 3 4 5 6 7 8 9 10   08   01 00 99 98 97 96